MADELINE

EDICIÓN EN ESPAÑOL

Texto e ilustraciones de
Ludwig Bemelmans

Traducción de Ernesto Livon Grosman

SCHOLASTIC INC.
New York Toronto London Auckland Sydney

Copyright © 1939 by Ludwig Bemelmans.
Copyright © 1967 renewed by Madeleine Bemelmans and Barbara Bemelmans Marciano.
Translation copyright © 1993 by Viking Penguin, a division of
Penguin Books USA Inc.
All rights reserved. Published by Scholastic Inc., 555 Broadway,
New York, NY 10012, by arrangement with Viking Penguin,
a division of Penguin Books USA Inc.
Spanish edition edited by Arshes Anasal.
The text is 17 point Bodoni.
Printed in the U.S.A.
ISBN 0-590-26271-8

4 5 6 7 8 9 10   08   01 00 99 98

En una vieja casa de París

toda cubierta de viñas

viven doce niñas

en dos perfectas filas.

Desayunan, almuerzan y cenan
siempre en dos perfectas filas,

luego los dientes se cepillan

y a dormir se van tranquilas.

Le sonríen a lo bueno,

a lo malo miran con desdén

y hay veces que se sienten tristes también.

En dos perfectas filas

salen de su casa

media hora después de las nueve

llueva, truene

o brille el sol.

La más pequeña se llama Madeline.

No le tiene miedo a los ratones,

ama el invierno, la nieve y los ventarrones.

Cuando en su jaula el tigre se asoma

para Madeline es como una broma.

Y no hay nadie que sin ser cruel

sepa tan bien cómo asustar a la señorita Clavel.

Tarde una noche,

la señorita Clavel la lámpara encendió.

—¡Algo no anda bien! —exclamó.

La pequeña Madeline estaba en la cama sentada,
los ojos rojos de tanto llorar y muy asustada.

18

Tan pronto como llegó, el doctor Cohn
al teléfono corrió

y un número muy largo marcó.

La enfermera preguntó: —¿Cómo dice? ¿Es el apéndice?

Todas sintieron ganas de llorar
y ni un sólo ojo quedó sin lagrimear.

En brazos y envuelta en una manta,
Madeline se sentía protegida y abrigada.

A toda carrera la ambulancia avanzaba

y en su techo una luz roja giraba y giraba.

Madeline se despertó en el hospital;
a su lado tenía un rosal.

Muy pronto Madeline comió y bebió.

Una manivela en su cama había

y una grieta en el techo

a veces se transformaba en un conejo que sonreía.

Pájaros, árboles y cielo se veían por la ventana
y así diez días pasaron como si nada.

Una mañana en el jardín,

la señorita Clavel dijo: —¿No es éste

un buen día

para visitar a Madeline?

VISITANTES DE DOS A CUATRO

decía el cartel a la entrada del cuarto.

En puntillas y muy serias entraron,

cada una llevaba una margarita en la mano.

Se quedaron boquiabiertas y dijeron: —¡Ahhh!

al ver los juguetes, los dulces

y la casa de muñecas, regalo de papá.

Pero la sorpresa más grande fue
cuando se paró en la cama como una actriz
¡y a todas les mostró la cicatriz!

33

—Adiós —dijeron—. Vamos a volver.

Y salieron mientras afuera no paraba de llover.

A casa regresaron y después de la cena

los dientes se cepillaron

y a dormir se acostaron.

Tarde a la noche

la señorita Clavel la lámpara encendió.

—¡Algo no anda bien! —exclamó.

Y temiendo lo peor

corrió y corrió

por el largo corredor.

—Niñas, díganme, ¿qué está pasando?

Y todas contestaron llorando:

—¡Nosotras también queremos

que nos saquen

el apéndice volando!

—Buenas noches, niñitas.

Den gracias que están bien.

¡Y ahora todas a dormir!

—dijo la señorita Clavel.

Y la luz apagó

y la puerta cerró

y colorín colorado

este cuento se acabó.